El Sol y la Luna

AUTORES

José Flores
Ana Margarita Guzmán
Sheron Long
Reynaldo F. Macías
Ramón L. Santiago
Eva O. Somoza
Josefina Villamil Tinajero

CONSULTORES DE LITERATURA

Mauricio E. Charpenel
Isabel Schon

Macmillan Publishing Company
New York

Collier Macmillan Publishers
London

CONSULTORES

Rosa Castro Feinberg
Joanna Fountain-Schroeder
Argentina Palacios

ACKNOWLEDGMENTS

The publisher gratefully acknowledges permission to reprint the following material:

"El Sol y la Luna" is from UN MUNDO DE POESÍA. Copyright 1978 by Voluntad Ediciones Ltd. Used by permission.

"Quiquiriquiií" is excerpted from the poem "Canción de Gallitos en la Madrugada" by Ida Réboli in ANTOLOGÍA DE LA POESÍA INFANTIL edited by Blanca de la Vega. © 1954 Editorial Kapelusz, S. A. All rights reserved. Used by permission.

"Sobresalto" is from CERCA DE LO LEJOS by Elías Nandino. © 1979 by Fondo de Cultura Económica, México. Used by permission.

"¡Qué tontería!" (in Spanish only) is from POEMAS PE-QUE PE-QUE PE-QUE-ÑITOS. Copyright 1972 by Ernesto Galarza. Published by Editorial Almaden and used by permission.

"En el país de Nomeacuerdo" is from EL REINO DEL REVÉS by María Elena Walsh. © 1969 Editorial Sudamericana Sociedad Anónima. Used by permission.

"Sombrera" is adapted from a story by María Elena Walsh in . . . . . HABÍA UNA VEZ. . . . . edited by Esther Jacob. ©1980 Editorial Terra Nova, S. A. Used by permission.

Art credits: Istvan Banyai, 8-9; Marla Frazee, 10-19; Dennis Schofield, 20-30; Ed Sibbett, 31; Luz María (TL), Allison Servetti (BL), Lisa Lágrimas (R), 40; Stan Tusan, 42-43; Pat Hoggan, 46-61; Ellen Beier, 64-73; Ed Sibbett, 74; Willi Baum, 76-84; Sharon Harker, 86; Istvan Banyai, 88-89; Eric Joyner, 90-101; Mike Adams, 104-115; Randy Chewning, 116-117; Roseanne Litzinger, 118-126; Stan Tusan, 127; Leopoldo Durañona, 130-138; Ed Sibbett, 139; Nancy Hoffman, 140; John Nez, 152-165; Stan Tusan, 166-179; Jane Oka, 180-189; Doug Roy, 192-204.

Photo credits: Peter Menzel, 32-33; Lawrence Migdale, (inset) 33; ANIMALS ANIMALS/ © Zig Leszczynski, 34; ANIMALS ANIMALS/ Arthur Gloor, (top inset) 34; ANIMALS ANIMALS/ Ted Levin, (bottom inset) 34; EARTH SCENES/ Karl Weidmann, 35; EARTH SCENES/ Patti Murray, (inset) 35; Cresencio Pérez Robles, *Tatei Urianaka, Goddess of the Earth Ready for Planting,* Mexico, Huichol, yarn on plywood, beeswax, 21″ x 30¼″, Fine Arts Museums of San Francisco, gift of Peter F. Young, 36; Ceramic Sun by Candelario Medrano, San Francisco, 37; *Apollo in sun chariot riding across the sky,* The Bettmann Archive, 38; Dance painting by Shortbull, Chief of Oglala Dakota (Sioux), 1901(2), Courtesy Department of Library Services, American Museum of Natural History, 39; THE STOCK MARKET/ © Harvey Lloyd, 85; Ann Rhoney, 140,142(T), 144(T), 146(T); Lawrence Migdale, 141,142(B), 143,144(B), 145,146(B), 147-149.

Book design: Diane Hoyt-Goldsmith
Cover design: Thomas Vroman
Cover photo: George Ancona

Macmillan Publishing Company
866 Third Avenue
New York, N.Y. 10022
Collier Macmillan Canada, Inc.

Printed in the United States of America

ISBN 0-02-167120-6

20 19 18 17 16 15 14 13 12 11 10

El Sol y la Luna

El Sol es de oro
la Luna de plata,
y las estrellitas
de hoja de lata.

Salvador de Madariaga

Contenido

NIVEL 5, UNIDAD 1

Quiquiriquiií

¡Quiquiriquí! . . . quiquiriquí . . .
Los gallitos se levantan.
¡Arriba! ¡Quiquiriquiií! . . .
¡Arriba los de la casa!
Quiquiriquiií . . . quiquiriquiií . . .
Cantan, cantan, cantan, cantan.

Ida Réboli

¡Buenos días!

Esther M. Navarro

Hace rato llegó la mañana.
La primera que sale de su cuarto es
la pequeña Trini.
¿Qué va a hacer ahora?

El sol se asoma al cuarto de Trini.

—¡Qué día más lindo! —dice Trini.

Trini mira las aves por un rato.

—Voy a ver lo que hace mamá
—dice Trini.

Trini corre y se asoma al cuarto de su mamá.

—¿Cómo? —dice Trini—.
¿Duerme mamá todavía?
Hay mucho trabajo que hacer y ya es tarde.
La voy a despertar.

—Buenos días, mami —dice Trini.

Su mamá no la oye.

—¡Mami! ¡Buenos días! —dice Trini.

Su mamá duerme.

Trini la tira de la pata.
Su mamá no dice nada.

—Mmm —dice Trini—, la quiero despertar.

Trini se pasea por el cuarto de su mamá.

—La tengo que despertar —dice Trini—.
¡Y ya sé con qué!

Trini va por una campana.
Toca y toca la campana.
Pero su mamá se la quita y la pone
en la mesa.
Después, se duerme otra vez.

Trini se queja:
—Bueno, ¿cómo voy a despertar a mamá?
¿Me atrevo a hacer ruido?
¡Sí, me atrevo!

Trini corre a la sala.
Toca música.
Hace mucho,
mucho ruido.
Después, Trini corre
otra vez al cuarto
de su mamá.

Su mamá asoma la cabeza y dice:
—Ay, ¡qué ruido!
¿Quién hace ese ruido?

—Yo, mamá —dice Trini.
¡Vamos! ¡Arriba!

—Ay, Trini —le dice su mamá—.
¡Pero si es sábado!
No me gusta despertar así.
El sábado por la mañana me gusta todo
de puntitas.

Y una vez más, la mamá de Trini
se duerme.

—¿De puntitas?
¿Le gusta todo de puntitas?
—dice Trini—.
Bueno, ya me voy.

Trini baja de la rama.

Después de un rato, Trini se asoma
al cuarto.
Va de puntitas al lado de su mamá.
Le trae su comida.

—¿Mami? —dice Trini—.
Mira, mami.
Mira lo que tengo aquí.

—¡Mmm, qué rico! —dice su mamá—.
¡Así me gusta despertar!
Buenos días, Trini.

Preguntas

1. ¿Adónde va Trini primero cuando sale de su cuarto?

2. ¿Qué hace su mamá cuando Trini toca la campana?

3. ¿Por qué no quiere despertarse la mamá?

4. ¿Cómo se siente la mamá al ver a Trini con la comida?

La luz del espejo

Mauricio Najarro

Es una tarde de mucho sol.
Pablo está en su casa.
¿Qué va a hacer Pablo?

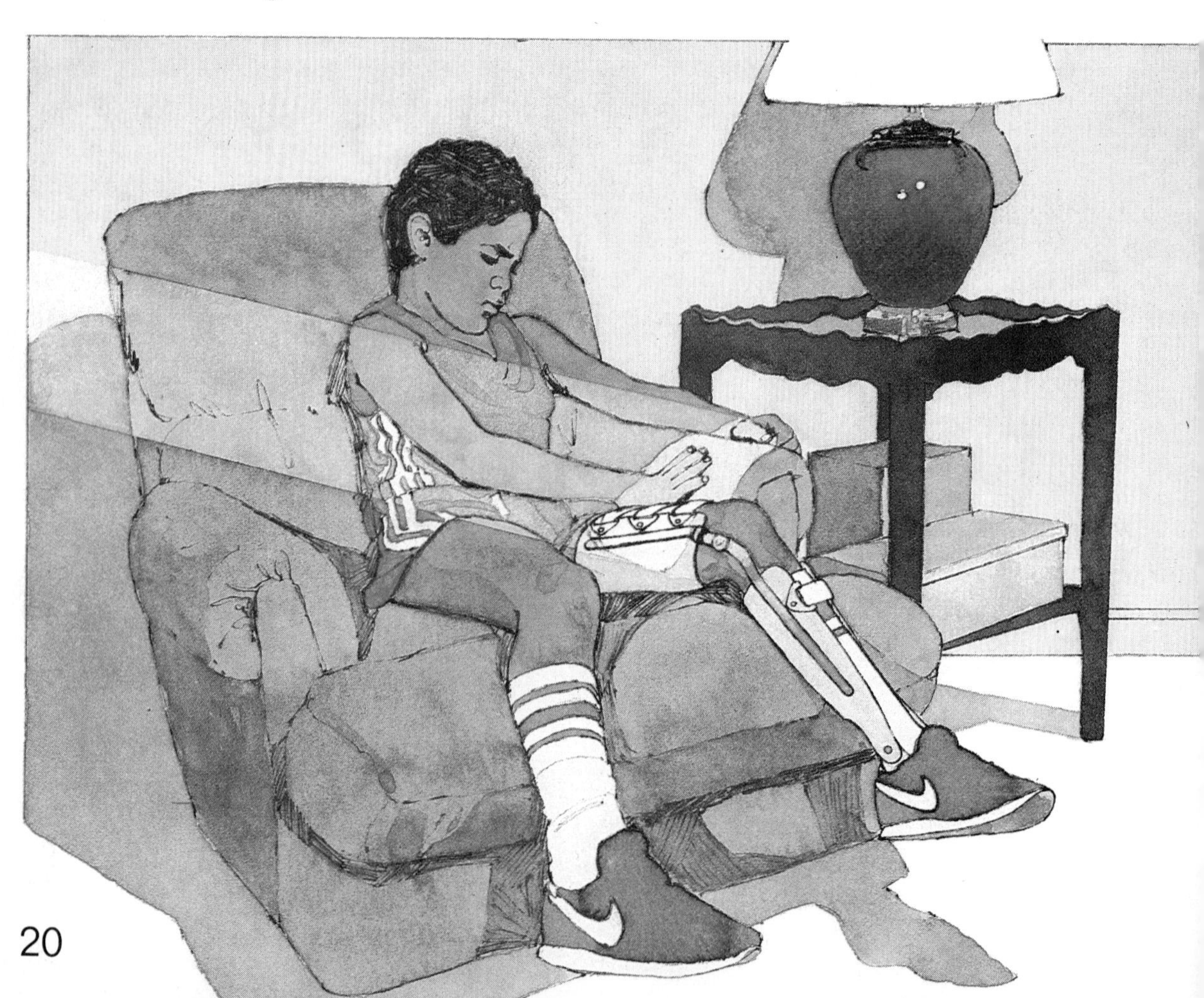

Es un día lindo.

No hay neblina.

Pablo está en la sala de su casa.

Ve una luz que ilumina el sillón.

—¿De dónde viene esa luz? —dice Pablo.

Pablo mira para arriba.

Después, mira las cosas de la sala.

—¡Es el sol en el espejo!
—dice Pablo.

Pablo toma el espejo y dirige la luz.
La luz va y viene de un lado para otro
de la sala.
Pablo va a la ventana con el espejo.

Pablo dirige la luz al otro edificio.
La luz corre de una ventana a otra
del edificio.
En eso, de una ventana sale otra luz.
Las luces se ponen a jugar.

—¿Quién me hace esa señal?
—dice Pablo.

Después de un rato, la otra luz se va.

Al otro día, Pablo sale de la escuela.
Corre a su casa y toma el espejo.

—Voy a jugar con el sol —dice Pablo.

Pablo va a la ventana.
Con la luz del sol, el espejo ilumina
el otro edificio.
La luz corre de una ventana a otra.

Otra vez, Pablo ve una luz que sale
de una ventana.
Las luces se ponen a jugar.

—Pero, ¿quién me hace esa señal?
—dice Pablo.

Pablo mira bien el otro edificio.

Primero, Pablo mira para arriba.

Después, mira para un lado y dice:

—¡Ya sé!

La luz viene del piso dos.

¡Mañana voy a ver quién vive ahí!

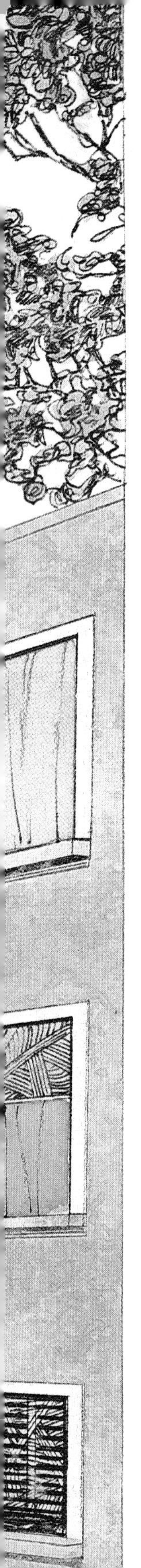

Al otro día, Pablo sale de la escuela.
Pasa por el otro edificio con su mamá.
Ve una lista.
En la lista están los que viven en
el edificio.
Pablo ve que los Robledo viven en
el piso dos.

—Ahora, tengo que hacer una cosa más
—dice Pablo.

Pablo corre a su casa.
Toma un libro que está al lado
del teléfono.

Lo lee y dice:
—Aquí dice Robledo.
Dice que los Robledo viven en esta calle.
¡Aquí están!

Pablo toma el teléfono.

Después, oye a una niña que le dice:
—¿Bueno? ¿Quién habla?

—Habla Pablo, el de la luz del espejo
—dice Pablo.

—¡Hola! —dice la niña—.
Habla Leonor Robledo, la de la otra luz.
Ve a tu ventana.
¡Vamos a jugar otra vez!

Preguntas

1. Al principio del cuento, ¿de dónde viene la luz?
2. ¿Qué hace Pablo con el espejo?
3. ¿De dónde viene la otra luz?
4. ¿Qué harías tú para saber quién tiene el otro espejo?

DIBUJOS QUE HABLAN

Se puede usar la luz de un espejo para hablar.

Y se puede hablar con dibujos.

Aquí dice: Hola.

Lee lo que dice cada dibujo.

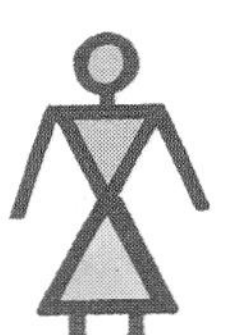

toma **va** **el niño** **la niña**

el libro **la escuela**

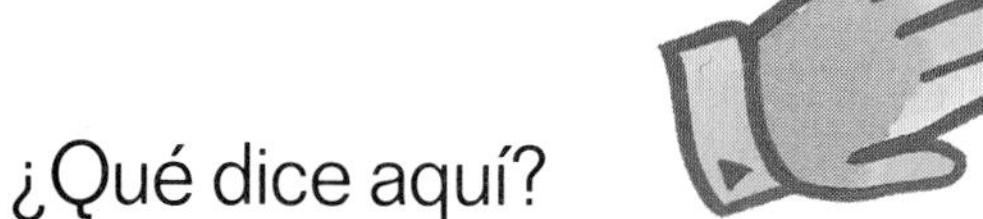

¿Qué dice aquí?

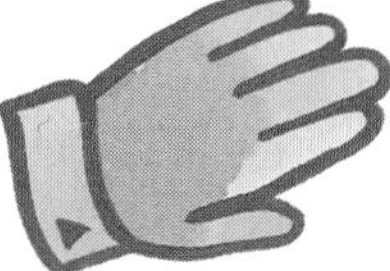

¿Y aquí?

Ahora, habla tú con dibujos.

El sol

Mabel Lernoud

Sin luz no hay día.
El sol da luz.
A todos les gusta el sol.
Todos lo necesitan.
Vamos a ver por qué.

Poco a poco amanece.

El sol sale y da luz.

Así nace el día.

Poco a poco el sol sube.

El sol brilla y calienta la tierra.

Con la luz del día, los animales salen
de sus casas.
Corren por el campo.
Van por su comida.
El sol los calienta.

Con el sol se abren muchas flores.
El campo se llena de colores.

El sol calienta la tierra.

Las matas brotan.

Salen los tomates.

En la tierra crecen los rábanos.

Todo crece con el sol.

Sin el sol no vive nada.

Sin el sol no hay día.

Sin el sol no hay viento.

No llueve.

No brotan las flores.

Muchos pueblos le hacen fiestas al sol.
Hay muchos cuentos sobre el sol.
Los cuentos hablan de cómo el sol da luz.

Hay un cuento que dice que
el sol es un muchacho.
El muchacho sale de la tierra.
Sale en un carro con caballos.
Cuando sale, amanece.
El muchacho sube y pasa por las nubes.
Así viene la tarde.
Cuando se mete en la tierra, viene la noche.

Unos pueblos hacen una danza al sol.

Le tocan música.

Llevan ropa bonita.

En la danza, llaman al sol.

Le dicen:

—Brilla, sol, brilla.

Trae tu luz.

Calienta mi casa y mi campo.

Luz María

Lisa Lágrimas

Allison Servetti

Todavía se oyen cuentos del sol.
Y todavía se hacen pinturas del sol.

En una escuela los niños hablan del sol.
Dicen que el sol es su amigo.
Después, hacen pinturas del sol.
Hacen pinturas brillantes y amarillas.

Preguntas

1. ¿Qué hacen los animales cuando hay sol?

2. ¿Qué hacen las matas cuando el sol calienta la tierra?

3. ¿Es importante el sol para la gente? ¿Cómo lo sabes?

4. ¿Crees que el sol es tu amigo? ¿Por qué sí o por qué no?

AQUEL CARACOL

Aquel caracol
que va por el sol,
en cada ramita
que lleva una flor.

Que viva la gala,
que viva el amor,
que viva la gala
de aquel caracol.

Tradicional

Palabras en su contexto

Lee cada cuento.

¿Qué significa la palabra subrayada?

Completa la oración y escríbela en tu papel.

1. Hay un rascacielos en la ciudad.

   Es de muchos pisos.

   Las ventanas del rascacielos dan a la calle.

   Un rascacielos es un __________ .

   animal   edificio   cuarto

Es un edificio porque ni un animal ni un cuarto tiene pisos.

Y un animal no da a la calle.

2. El libro está lleno de historias.

El niño lee las historias.

Le gustan mucho.

Las historias son ________ .

cuentos fiestas ruedas

3. Hay un tigre en el zoológico.

Se parece a un gatito.

El tigre corre rápido.

El tigre es un ________ .

animal libro museo

4. Los amigos se divierten.

Se divierten en la fiesta.

Hacen lo que más les gusta.

Los niños ________ .

se enojan corren rápido pasan un buen rato

Fredi y los frijoles mágicos

versión de Lada Josefa Kratky

El sol brilla en el campo.
Pero la mamá de Fredi está triste.
¿Por qué está triste?

—Fredi —le dice su mamá—, esta moneda
es la última que me queda.
Ve al pueblo.
Vende la vaca.

—Sí, mamá —dice Fredi—.
Vamos, vaca.
Vamos a ver quién te va a comprar.

Fredi y la vaca van por el camino.
El camino los lleva al pueblo.
Por el camino, Fredi ve a un señor.

—Oye, quiero esa vaca —le dice
el señor—.
Toma estos frijoles mágicos por
esa vaca.

Fredi mira los frijoles y dice:
—Está bien.

Fredi corre a casa con los frijoles en la mano.

—¡Mami, mira lo que tengo! —dice Fredi.

—¡Frijoles en vez de monedas!
—se queja su mamá—.
¡Qué fracaso!
Vete a tu cuarto.

La mamá tira los frijoles por la ventana.

Al otro día, Fredi se asoma a la ventana.
Mira y ve una mata enorme.
¡Es una mata de frijoles!
La mata sube hasta las nubes.

Fredi sale por la ventana y dice:
—Quiero ver qué hay en esas nubes.

Fredi sube y sube por las ramas.
Sube hasta las nubes.
Después, asoma la cabeza por las nubes.

A lo lejos ve una enorme casa y dice:
—Quiero ver quién vive en esa casa.

Fredi va por el camino en las nubes.
Va a la enorme casa.

Pasa a la sala y dice:
—¡Parece la casa de un gigante!
Vamos a ver si hay comida por aquí.

Fredi se sube a la mesa por una pata.

En la mesa ve unos panes y dice:
—Mmm, ¡qué bueno está el pan!

Fredi come y come.

Pero en eso, oye:
“Fri, fra, fro, fri.
¿Quién pasó por aquí?”

Fredi está asustado.
Se pone al lado de un pan.
Así el gigante no lo ve.

Ve que se acerca un gigante enorme.
El gigante mira por arriba de la mesa.
No lo ve.

Mira por todos lados y dice:
—¡Inés, trae la comida!

Una señora corre a la sala.
Trae sopa para el gigante.

El gigante se toma toda la sopa.
Se come unos panes.
Fredi lo mira asustado.

Después, el gigante dice:
—Inés, ¡trae mi cofre!
¡Trae mi gallina y mi arpa!

La señora se los trae.
Los pone en la mesa.

Fredi, asustado, lo mira todo.
En el cofre ve muchas, muchas monedas de oro.
Ve que la gallina pone un huevo de oro.
Ve que el arpa toca música bonita.
Con la música, el gigante se duerme.

Fredi lo ve y dice:
—Quiero el cofre y el arpa.
Quiero la gallina y el huevo de oro.

Fredi se asoma.
Sale de donde está.
Toma la gallina y el huevo de oro.
Toma el cofre y el arpa.
Poco a poco, baja de la mesa.
Poco a poco, sale de la casa.
Después, corre, corre y corre
por el camino en las nubes.

En eso, el arpa dice:
—¡Gigante! ¡Gigante!

Fredi corre y corre.

El gigante se enoja y sale de la casa.

El gigante corre.

Fredi llega a la mata.

El gigante corre.

Fredi baja por la mata.

El gigante corre.

Fredi baja y baja.

Fredi ya está en el jardín.
Ahora corta la mata.
Corta y corta hasta que la mata se cae.
Fredi mira para arriba.
Ve que el gigante se queda en las nubes.

En eso, sopla el viento.
El viento sopla y sopla.
Se lleva al gigante lejos de ahí.

Fredi toma la gallina y el huevo de oro.
Toma el cofre y el arpa.
Corre a la casa y dice:
—¡Mami! ¡Ven!
Mira lo que tengo.
¡Con estas cosas vamos a comprar comida todos los días!

Preguntas

1. ¿Qué recibe Fredi cuando vende la vaca?

2. ¿Cómo sabes que los frijoles son mágicos?

3. ¿Quién vive en la casa enorme?

4. Al final del cuento, ¿cómo se siente la mamá al ver a Fredi?

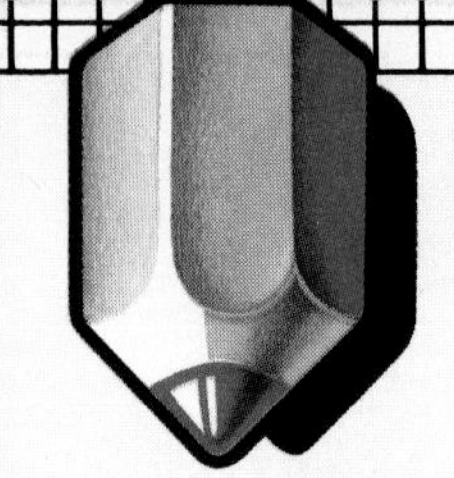

COMPOSICIÓN

Dibujo con palabras

ANTES DE ESCRIBIR

Fredi se encuentra con un gigante.

El gigante “se parece a una casa”.

Esto es un dibujo con palabras.

Tus cinco sentidos te ayudan a escribir dibujos con palabras.

Lee estas oraciones sobre el gigante.

SENTIDO	ORACIÓN
VISTA	La cabeza del gigante llega hasta la luna.
TACTO	Su piel está helada.
OÍDO	Cuando habla, dice: “Fri, fra, fro, fri”.
OLFATO	Huele a barro.
GUSTO	Todos los días toma sopa caliente de patas de araña.

ESCRIBIR

1. Escribe un dibujo con palabras de un animal mágico.
2. Primero, piensa en el animal. Deja que tus sentidos te ayuden a escribir un dibujo con palabras.
3. Ahora, escribe tu primera oración. Puedes escribir:

   Cada noche, visito a un animal mágico.
4. Después, escribe oraciones que digan cómo es tu animal mágico.

REVISAR

1. Lee tu dibujo con palabras.
2. ¿Dicen tus oraciones cómo es el animal? ¿Hay una oración para cada uno de los cinco sentidos? ¿Qué palabras puedes cambiar para hacer un dibujo con palabras mejor?

¿Dónde está Gregorio?

Sara Poot Herrera

Hay fiesta todo el día.

Es el Día del Niño.

Todos los niños van a la escuela con disfraz.

Rin, rin.

Se oye el teléfono en la casa de Eva.

—¿Bueno? —dice Eva.

—Habla Gregorio —le dice una voz—.
¿A que no sabes qué disfraz llevo a
la escuela?

—No sé —dice Eva—.
¿Cómo vas?

—No te lo digo —dice Gregorio—.
Te veo en la escuela.

—Mamá, es muy tarde —dice Eva—.
Vamos a la escuela.
Quiero ver qué disfraz lleva Gregorio.

—Sí, Eva, sí —dice la mamá—.
Todo está listo ya.
Trae la limonada.
Yo llevo la comida.

Eva y su mamá se van a la escuela.

En la escuela hay payasos,
alegría y música.
Hay un desfile muy bonito.
Eva toma fotos de todo lo que ve.
Primero, pasa un gigante.

—Bu, bu —le hace el gigante a Eva.

Después, Eva oye la risa del gigante.
Por la risa, sabe quién es.

—¡Es Pablo! —grita Eva.

CLIC.
Eva le toma una foto.

Después, pasa una piñata.

—¡Ese disfraz es muy bonito! —dice Eva—.
¿Es Gregorio?

En eso, Eva ve que la piñata lleva botas.
Son botas de niña.

—¡No es Gregorio!
Es una niña —dice Eva.

CLIC.

—Gracias —dice la piñata.

Y después, pasa un grupo de niños.
Traen el mismo disfraz.
Pasan uno y otro y otro.
CLIC. CLIC. CLIC.

—Gracias, gracias, gracias —dicen los payasos.

Por la voz, Eva sabe que son José, Paquita y Nicolás.

—¿Dónde está Gregorio? —dice Eva.

Eva ya no mira el desfile.
Por eso, no ve que se le acerca un ogro.

Eva mira para un lado y dice:
—¿Dónde está Gregorio?

Mira para otro lado y dice:
—¿Gregorio? ¿Gregorio?
¿Dónde está Gregorio?

Mira para todos lados y dice:
—¿Dónde, dónde está?

El ogro se le acerca más . . . y más
. . . y más.

En eso, Eva ve al ogro.
Está muy asustada y grita:
—¡GREGORIO!

—¿Qué? —dice el ogro.

—¿Cómo que qué? —grita Eva.

Los dos se llevan una sorpresa.
Por la voz, Eva sabe quién es el ogro.
¡El ogro es Gregorio!

CLIC.

Preguntas

1. ¿A quién busca Eva en la escuela?
2. ¿Qué hace Eva durante el desfile?
3. ¿Cómo sabe Eva quién es el gigante?
4. ¿Cómo se siente Eva al ver al ogro?

Idea principal

Un párrafo está compuesto de oraciones.
Las oraciones hablan de la misma cosa.
Cada oración de este párrafo describe una fiesta.

Me gustan mucho las fiestas.
En las fiestas veo a mis amigos.
Hay música bonita.
Hay buena comida.

La primera oración nos dice de qué tratan las otras oraciones.

1. Lee este párrafo.

    Aquí venden mucha comida.

    Hay frijoles.

    Hay leche y limonada.

   Escribe en tu papel la oración que dice de qué tratan las otras oraciones.

    Hay leche y limonada.

    Aquí venden mucha comida.

2. Ahora, lee este párrafo.

    En la pradera viven animales.

    Comen las matas que crecen allí.

    Toman agua del arroyo.

    Hacen sus casas debajo de la tierra.

   Escribe en tu papel la oración que dice de qué tratan las otras oraciones.

    En la pradera viven animales.

    Hacen sus casas debajo de la tierra.

El tlacuache y el coyote

versión de Óscar Muñoz
de una leyenda mexicana

El tlacuache está en una gruta, patas para arriba.
Pero se lleva una sorpresa cuando ve al coyote.
¿Por qué?

El coyote se asoma a la gruta y dice:
—¡Mmmm! ¡Qué bueno que te veo,
sabroso tlacuache!
Ahora puedo hacer una comida rica.
Esta noche voy a hacer tlacuache frito.

El tlacuache lo mira asustado y dice:
—¿Pero por qué, amigo coyote?
¿Por qué vas a hacer eso con tu amigo?

—Porque ya van muchas las que me haces
—dice el coyote.

Pero el tlacuache, ya listo, dice:
—Pero ahora no puedo, amigo coyote.

—¡Cómo que no! —grita el coyote.

—¡Es que se cae el cielo! —dice
el tlacuache.

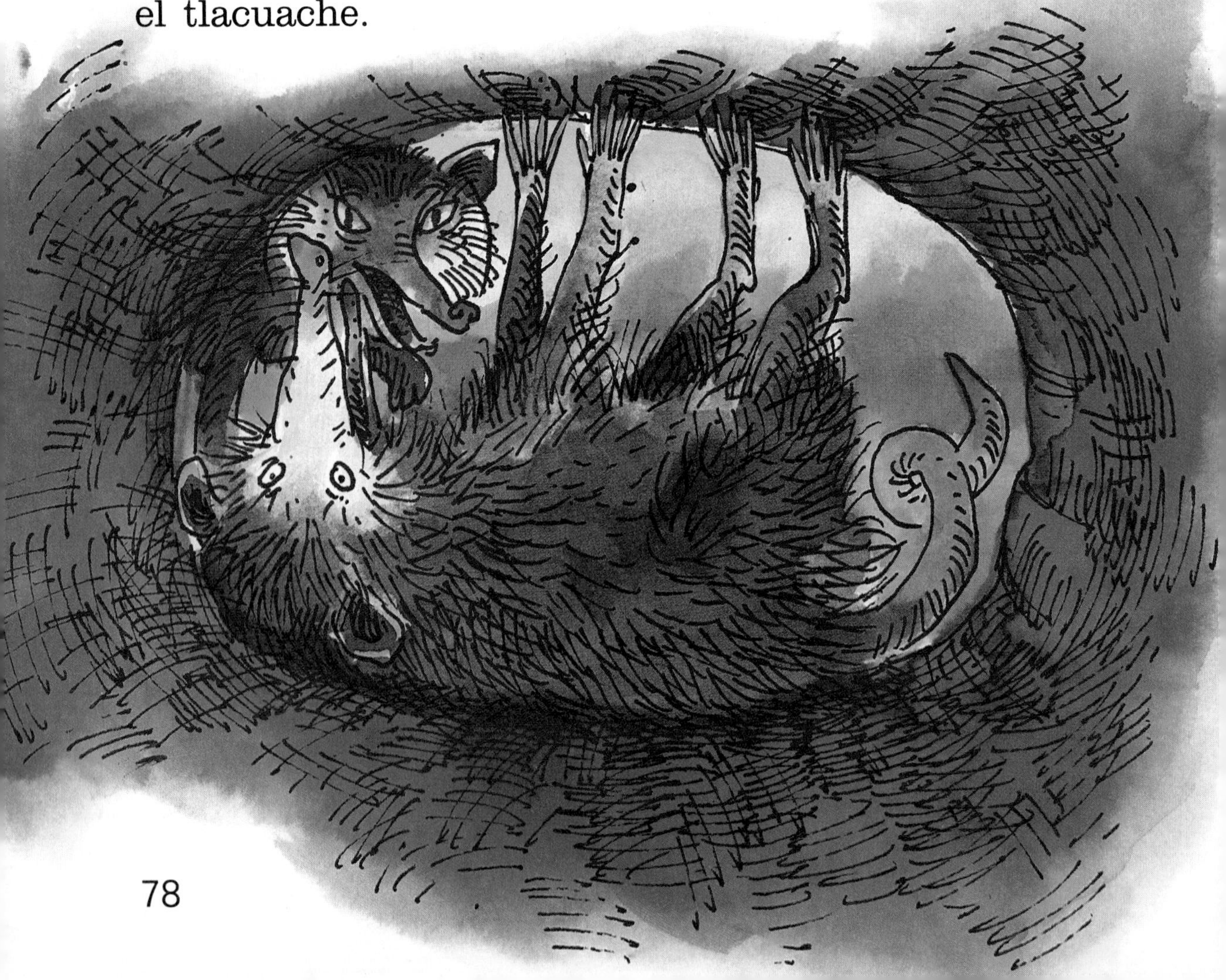

El asustado coyote corre a unas matas.

El tlacuache le dice:
—Ayuda a detener el cielo, amigo coyote.

—¿Y cómo lo hago? —dice el coyote.

—Así como yo, con las patas para arriba
—dice el tlacuache.

—Oye, tlacuache, ¿y no pesa mucho
el cielo? —dice el coyote.

El tlacuache se enoja y dice:

—¡Tus patas lo pueden detener!

Voy por una rama.

Al rato te veo, coyote.

El tlacuache se para y se va.

El coyote se queda asustado y se queja:

—¡Ay, cómo pesa el cielo!

Después de un rato, el coyote dice:
—¿Qué le pasa al tlacuache que
no viene?
Ya es de noche y todavía no lo veo.
¿Y si es uno de sus trucos?
No, no me puede hacer eso.

Pasa otro rato y el coyote se queja:
—¡Ay! ¿Por qué no viene ya ese
tlacuache?

Al otro día el coyote dice:

—¡Ya no puedo!

¡Ya no puedo!

¡No puedo detener más este cielo!

Las patas ya le pesan mucho.

El lomo se le duerme.

Poco a poco, el coyote sale de la gruta.
Corre y corre hasta el campo.

Por el camino, grita a los animales:
—¡Corre, caballo, corre!
¡Corre, chivo, que se cae el cielo!
¡Vete, avispa, lejos!

Pero después de un rato, el coyote ve
que nada se cae y dice:
—¡Tlacuache, vas a ver!
Uno de estos días, vas a ver lo que
te voy a hacer.

Preguntas

1. Al principio del cuento, ¿dónde está el tlacuache?

2. ¿Por qué se asusta el coyote?

3. ¿Dónde se queda el coyote?

4. ¿Por qué le dice el tlacuache al coyote que se cae el cielo?

PRESENTAMOS AL AUTOR

Óscar Muñoz

Cuando Óscar Muñoz era niño, le encantaba el mundo de la imaginación. Le gustaban las historias que le contaba su abuelo. Le gustaba mucho ir al cine con su papá. Y le encantaba leer cuentos de aventuras.

Cuando Óscar era maestro de primaria, descubrió de nuevo el mundo de la imaginación. Lo descubrió a través de sus alumnos.

Óscar dice: "Aprendí tanto de los niños, que ahora disfruto muchísimo cuando escribo cuentos para ellos. Mis personajes preferidos son mis hijos, Claudia y Alejandro. Pero, también, hay otros personajes que me gustan, como Pablito, Raúl . . . y tú. ¿No me crees?"

Sobresalto

¡Qué perfecto
salto mortal
ha echado el sol
hacia
el otro lado del mar!

Elías Nandino

NIVEL 5, UNIDAD 1

Pensemos en los relatos de *Quiquiriquiií*

Por la mañana se oye "quiquiriquiií". El gallo nos dice que llegó el día. Los relatos de esta Unidad son sobre cosas que pasan de día. Son relatos sobre animales que hacen trucos y de niños que se ponen a jugar. Unos niños se ponen disfraces graciosos. Otro niño sube hasta las nubes.

1. ¿Qué disfraz te quieres poner tú para el Día del Niño?
2. ¿Quién es más listo, el coyote o el tlacuache? ¿Por qué?
3. ¿En qué se parecen el ogro de Gregorio y el gigante de Fredi? ¿En qué no se parecen?
4. Escribe una oración sobre lo que más te gusta hacer de día.

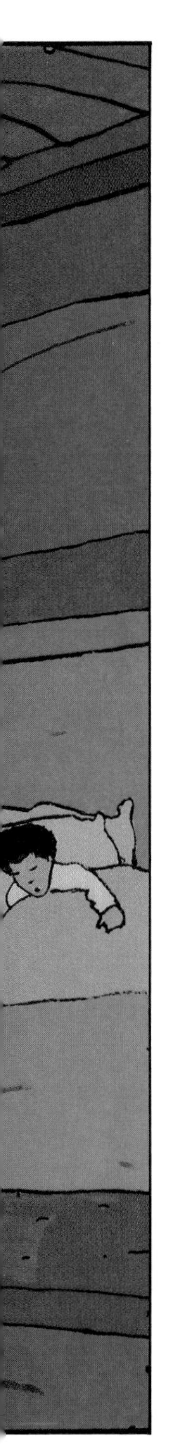

NIVEL 5, UNIDAD 2

Arrorró, mi niño

Arrorró, mi niño,
la Luna llegó,
porque a su casita
se ha marchado el Sol.

Tradicional

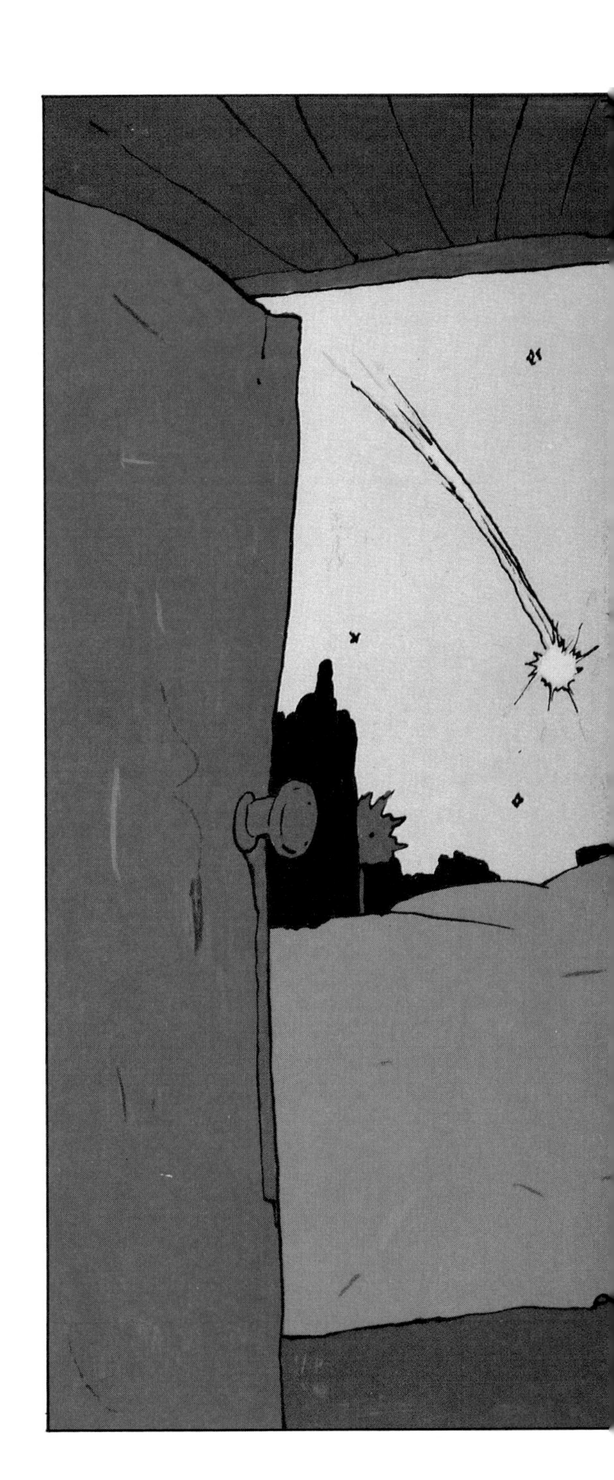

La lluvia de estrellas

Sara Poot Herrera

Esta noche hay fiesta en la ciudad.
Todos van a la plaza.
Van a ver una lluvia de estrellas.

—¡Pablo! —dice la mamá—.
Vamos a la plaza.

—No quiero ir, mamá —dice Pablo.

—¿Cómo que no? —le dice su mamá—.
José va a ir.
Y él es tu mejor amigo.

—Por eso mismo, no quiero ir —dice Pablo.

Se le acerca su mamá.

—¿Por qué, Pablo? —le dice su mamá.

—Es que llegó un niño nuevo a la escuela
—dice Pablo—.
Y José se pasó todo el día con él.

—Pero Pablo, yo sé que José todavía es
tu mejor amigo —le dice su mamá—.
Y esta noche es la lluvia de estrellas.
Vamos a la plaza. Vamos.

—Bueno, voy —dice Pablo—.
Voy si no tengo que ver a José.

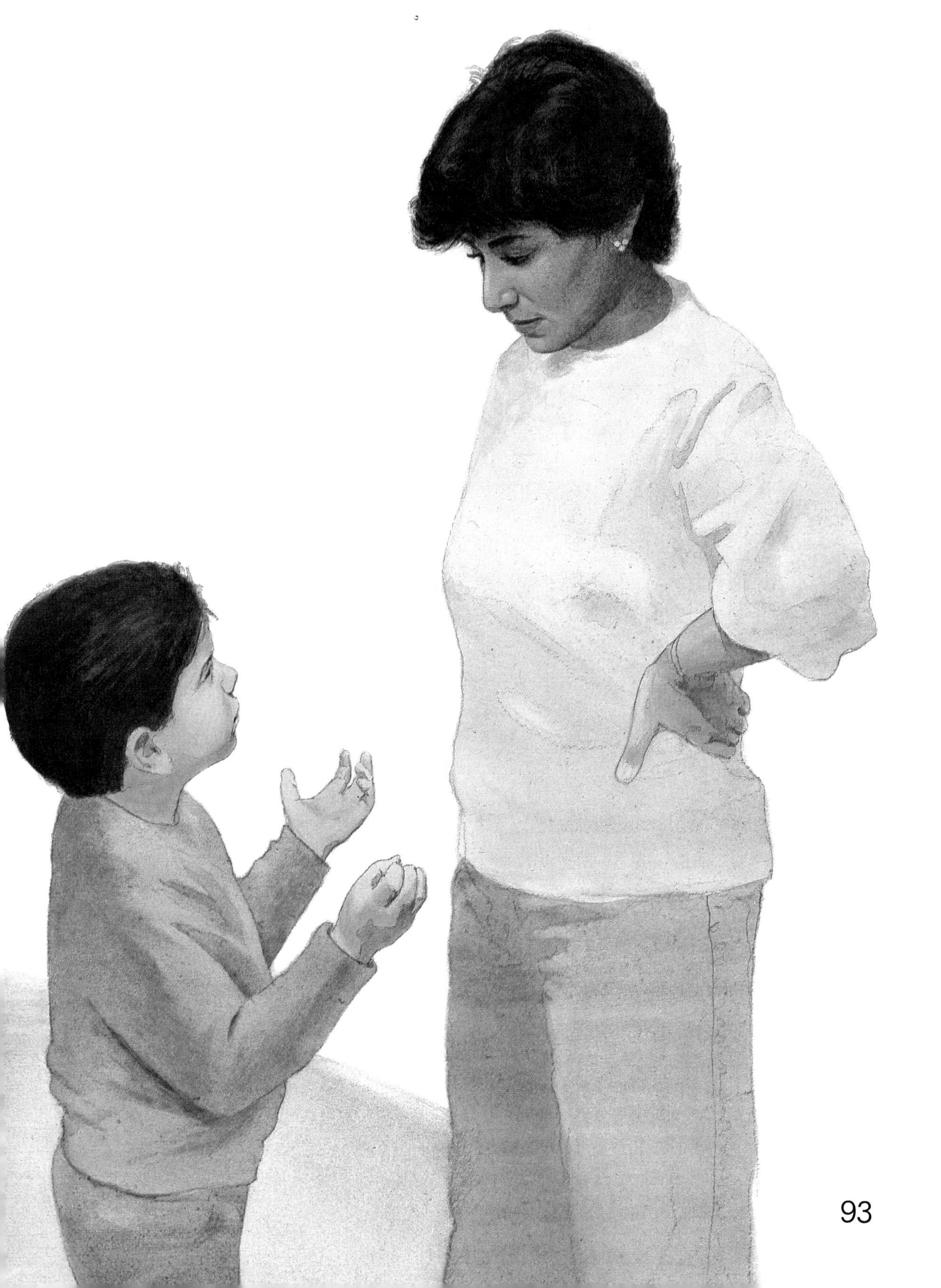

Pablo llega a la plaza con su mamá.
La plaza está llena de gente.

—¡Pablo, mira! —le dice su mamá—.
Allá está José.
¿Con quién está?

—Está con Nicolás —dice Pablo—.
Nicolás es el niño nuevo.

—Y mira —dice la mamá—,
Nicolás trae binoculares.
Ve con tus amigos, Pablo.

—No quiero, mamá —dice Pablo.

Pablo se queda con su mamá.
Está muy triste.
Mira a José y a Nicolás de lejos.
Pablo se pone más y más triste.

Pablo mira al cielo.

En eso, ve dos estrellas que caen y dice:
—¡Mamá! ¡Mamá!
¡Mira esas estrellas!

—Sí, Pablo —dice su mamá—, corren
por el cielo como buenas amigas.
Ve con José.
Él es tu mejor amigo.

—Pero, ¿por qué pasó todo el día con
Nicolás? —dice Pablo—.
Me parece que Nicolás es su nuevo amigo.

—José puede tener un nuevo amigo —dice
su mamá—.
Es bueno tener más de un amigo.
¡Pero mira, Pablo!

Pablo mira.
Ve a José que lo llama del otro lado de la plaza.

—¡Pablo! ¡Ven! —grita José—.
¿Qué haces allá?
¡Ven aquí con tus amigos!

—¡Mamá! —dice Pablo—.
¡Es José el que me llama!
¡Dice que son mis amigos!
Te veo en un rato, mamá.

Pablo corre adonde están los dos niños.

—Hola, Pablo —le dice Nicolás—, ven.
Toma mis binoculares.
La lluvia de estrellas se ve mucho mejor
con los binoculares.

—Ay sí, gracias —dice Pablo.

—Mira este libro —dice José—.
Es un libro con fotos de los planetas.

—En casa tengo un libro nuevo sobre las estrellas —dice Pablo—.
¿Por qué no vienen a casa mañana, después de la escuela?
Pueden ver mi libro.

—Ay sí, vamos —dice José.

—¡Qué bueno! —dice Nicolás.

—¡Mira las estrellas! —grita José.

—¡Qué lluvia! —grita Nicolás.

—¡Qué noche tan linda! —grita Pablo.

Preguntas

1. ¿Por qué va toda la gente a la plaza?
2. ¿Por qué Pablo no quiere ver a José?
3. ¿Con quién está José en la plaza?
4. Al final del cuento, ¿qué aprende Pablo?

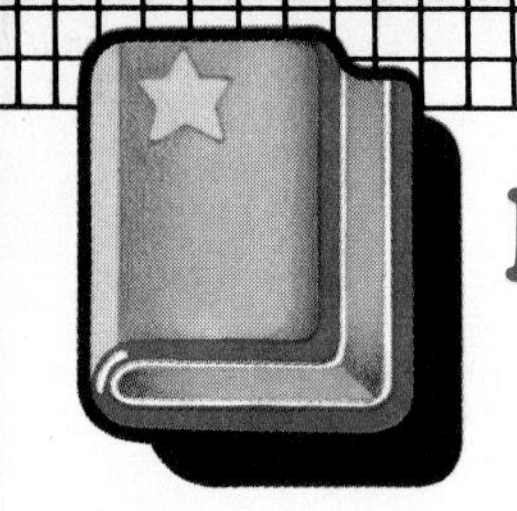

DESTREZAS

Causa de un suceso

Lee esta oración.

José va al parque porque hay lluvia de estrellas.

Mira las palabras que están en el cuadro.

Estas palabras te dicen lo que pasa.

Mira las palabras que están en el círculo.

Éstas te dicen por qué pasa lo que pasa.

Lee el cuento.

Escribe la respuesta a la pregunta en tu papel.

1. Pablo va al parque.

   Se pone triste porque no ve a José.

   ¿Por qué se pone triste Pablo?

   Hay lluvia de estrellas.

   No ve a José.

   Va al parque.

Lee estas oraciones.

(Paquita está sola.) Por eso, [llama a su amiga.]

Mira las palabras que están en el cuadro.

Estas palabras te dicen lo que pasa.

Mira las palabras que están en el círculo.

Te dicen por qué pasa lo que pasa.

Lee el cuento.

Escribe en tu papel la respuesta a la pregunta.

2. Voy a la escuela.

   No quiero despertar a mamá.

   Por eso, camino de puntitas.

   ¿Por qué camino de puntitas?

   - Quiero ir a la escuela.
   - Voy por el camino.
   - No quiero despertar a mamá.

El zorro

Lada Josefa Kratky

De noche salen la luna y las estrellas.
Muchos animales duermen.
Otros animales salen a buscar comida.

Es una noche de luna llena.
La luz ilumina el prado.
Un zorro corre rápido por el prado.
Y se mete rápido en su madriguera.

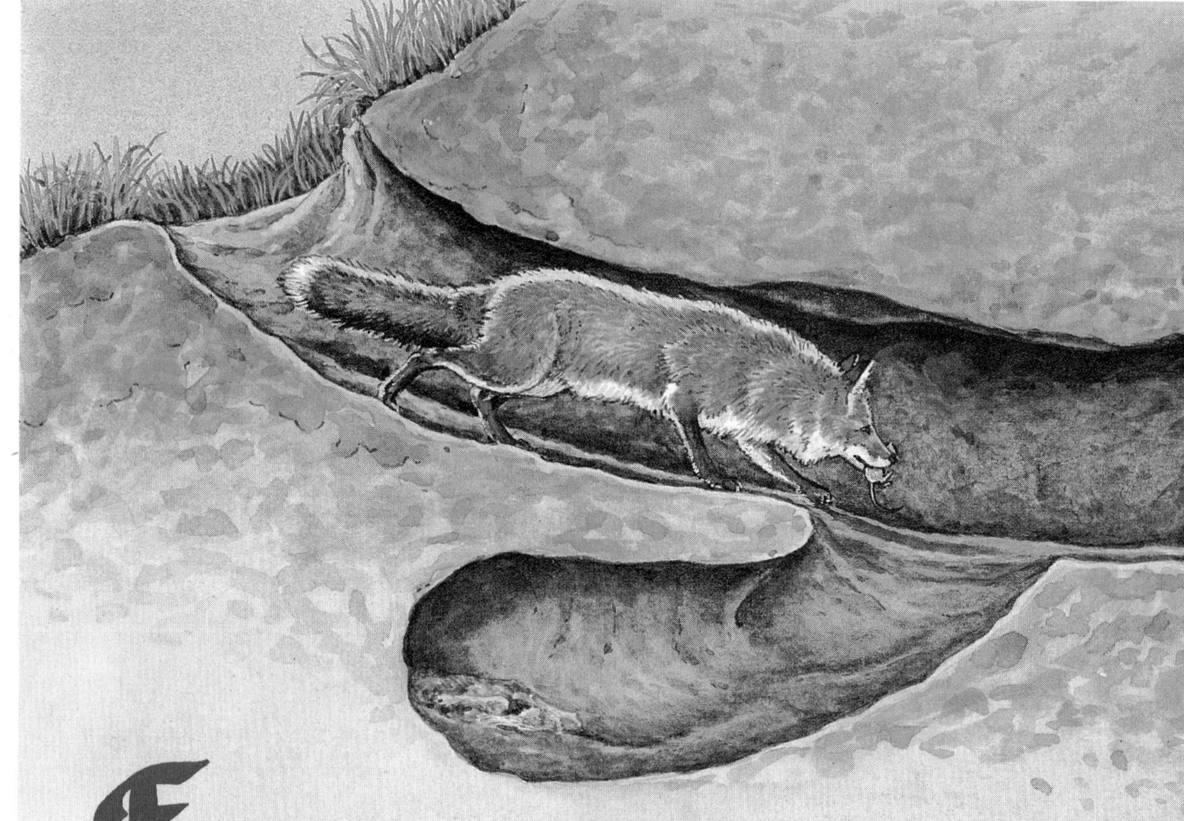

En la madriguera hay unos túneles.
El zorro baja por uno de ellos.
Los túneles van de cuarto en cuarto.
El zorro pasa por un cuarto.
Es aquí donde se pone la comida.
Pero él no se mete ahí.
Corre rápido y se mete en otro cuarto.
Ahí están sus pequeños zorritos.
Están con su mamá.

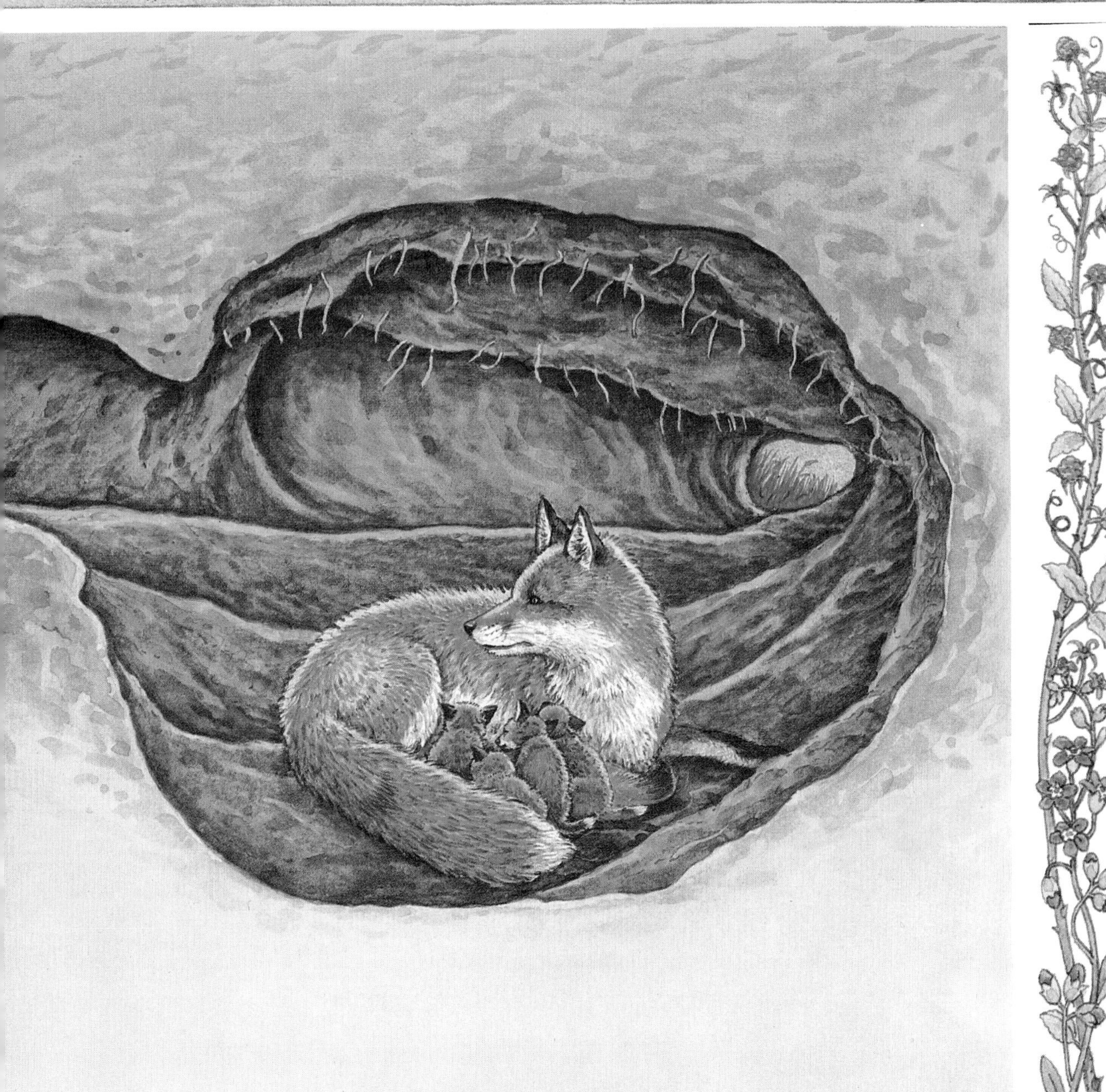

El zorro trae comida para la zorra.
Los zorritos todavía no comen.
Sólo toman la leche de su mamá.

Los zorritos nacen en los primeros días de primavera.
Cuando nacen no ven.
Sólo duermen y toman leche.
Por eso, la zorra no sale de la madriguera.

La zorra se queda día y noche con
los zorritos.
Protege a los zorritos.
Es el zorro el que sale.
Va a buscar comida.

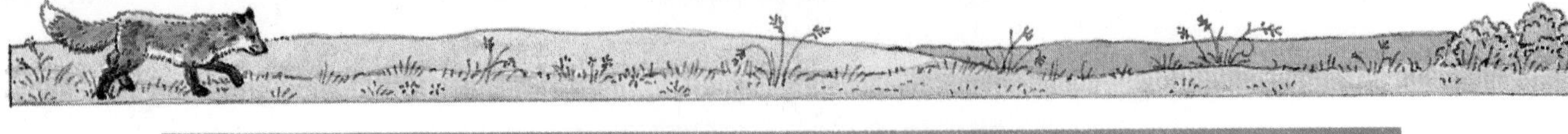

El zorro sale de noche a buscar comida.
El zorro es muy listo y oye muy bien.
Oye ruidos que vienen de muy lejos.
El zorro es muy rápido y ve bien de noche.

Cuando el zorro oye un ruido, se para.
Mira bien de un lado a otro.
Se pone de puntitas para ver mejor.
Así puede ver qué es lo que hace el ruido.

Poco a poco los zorritos crecen.
Salen de la madriguera.
Van al prado a jugar.
Les gusta mucho jugar.
Y les gusta mucho la comida que les traen
su papá y su mamá.
Comen de todo.

Y poco a poco su mamá y su papá
les enseñan muchas cosas.
Les enseñan a buscar comida.
Les enseñan todo lo que necesitan saber.

Los días de primavera pasan rápido.
Los zorritos ya no necesitan la ayuda
de su papá y su mamá.
Uno por uno, los zorritos se van.
Van a buscar un nuevo prado.
Y van a buscar nuevos amigos.

Preguntas

1. ¿Adónde va el zorro con la comida?
2. ¿Cuándo nacen los zorritos?
3. ¿Cómo aprenden los zorritos a buscar comida?
4. ¿Cómo crees que se siente el zorrito al dejar a su papá zorro y a su mamá zorra?

¡Qué tontería!

¡Qué tontería
buscar la luna
al mediodía!

Ernesto Galarza

Todo al revés

Mauricio Najarro

Muchos animales no duermen de noche.
Pero todos los niños sí lo hacen.
Y a veces la mañana les trae
una sorpresa.

Llega la mañana y . . . ¡cataplum!

Adela se cae de la cama y mira.

Mira . . . mira . . . y mira.

Se mira en el espejo.

¡No puede creer lo que ve!

—¡Mamá, mamá! —grita Adela.

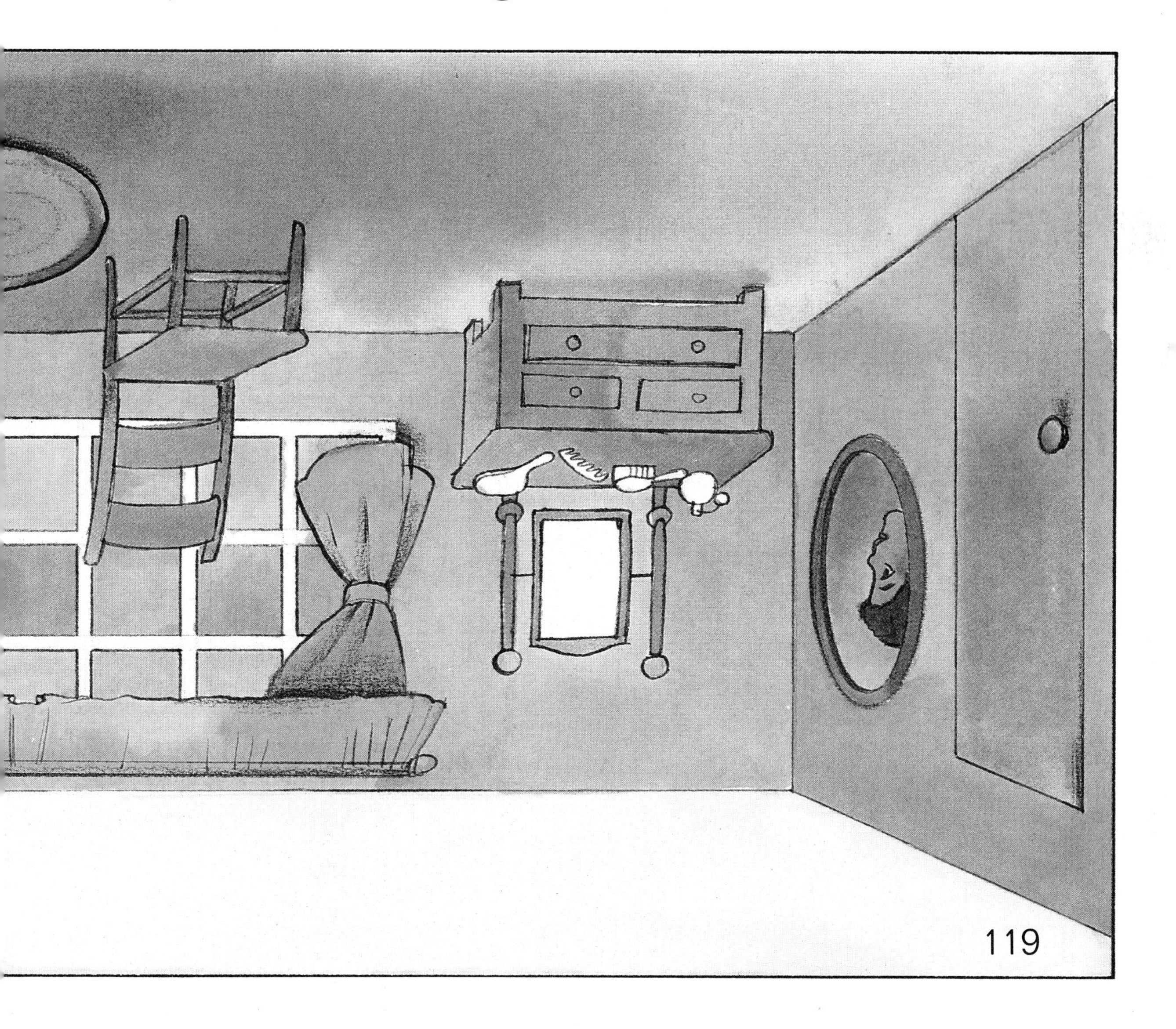

En eso, la mamá de Adela pasa al cuarto.

—Mamá, ¿qué haces allá arriba?
—pregunta Adela.

—Pues, Aleda —dice la mamá—, ¿qué haces allá abajo?

—¿Aleda? —pregunta Adela—.

¡Adela, mamá, Adela!

La mamá dice:

—Pues, ¿no ves?

Así es. Todo al revés.

Adela va adonde está su mamá.
¡Sube por un lado del cuarto!

Su mamá le dice:
—Yo te ayudo con la ropa.

—¡Pero así está al revés! —dice Adela.

—Pues, así es —le dice su mamá.

—Sí, mamá —dice Adela—, ya sé.
Así es.
Todo al revés.

Su mamá sale del cuarto.

Llama a Adela:
—Ven aquí, Aleda.
La sopa está lista.

Adela va adonde está su mamá.

—¿Sopa? ¿Sopa en la mañana?
—pregunta Adela.

—Pues, así es —le dice su mamá—.
Todo al revés.
Pero vamos, que se hace tarde.

Su mamá abre la ventana y sale de la casa.

—Allá está tu bicicleta —dice su mamá.

Adela se sube a la bicicleta.

Pero su mamá le dice:
—Así no, Aleda.

—Claro —dice Adela—, ¡ya sé!
Así es. Todo al revés.

Adela cruza la calle en su bicicleta.

Oye a su mamá que le grita:
—¡Hola, Aleda!

—¡Ay, qué risa! —dice Adela.

Adela ve animales por las nubes.
Ve una paloma al lado de una casa.

Adela dice:
—No lo creo, es que no me lo creo . . .
¡Aaaay!

¡Cataplum!

. . . Y llega la mañana.

Preguntas

1. Al principio del cuento, ¿dónde está Adela después de caerse de la cama?
2. ¿Con qué nombre llama la mamá a Adela?
3. ¿Cómo anda Adela en bicicleta?
4. ¿Cómo te sentirías tú si lo encontraras todo al revés?

En el país de Nomeacuerdo

En el país de Nomeacuerdo
doy tres pasitos y me pierdo.

Un pasito para allí,
no recuerdo si lo di.
Un pasito para allá,
¡ay qué miedo que me da!
Un pasito para atrás
y no doy ninguno más
porque ya, ya me olvidé
dónde puse el otro pie.

María Elena Walsh

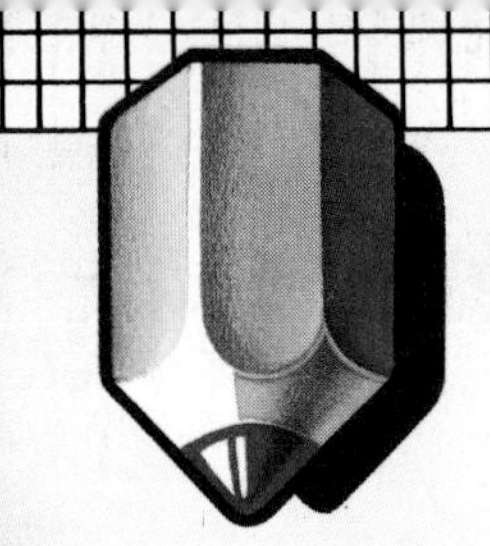

COMPOSICIÓN

Un cuento

ANTES DE ESCRIBIR

"Todo al revés" es un cuento sobre las cosas que pasan todos los días.
Pero pasan en un mundo que está al revés.

Tú puedes escribir un cuento.
Y puedes hacer dibujos para el cuento.

Piensa en la idea para el cuento.
Usa una de estas ideas o una tuya.

Un paseo con mi familia
Lo que hago todos los días
Mi casa

Ahora, decide qué dibujos vas a hacer y qué vas a escribir.

¿Qué pasa primero?
¿Qué pasa después?
¿Qué pasa por último?

ESCRIBIR

1. Piensa en la idea de tu cuento.
2. Haz los dibujos que van con lo que vas a decir.
3. Después, escribe las oraciones para tu cuento. En la primera oración debes poner la idea de tu cuento.
4. Ahora, escribe una o dos oraciones debajo de cada dibujo.

REVISAR

1. Lee tu cuento.
2. Piensa en estas cosas al leer:

   ¿Van las oraciones con los dibujos?

   ¿Quieres decir más cosas en tu cuento?

   ¿Quieres hacer otros dibujos o escribir otras oraciones para hacer un cuento mejor?

EL GÜIRO

Brenda Bibiloni

Mañana es la fiesta en la plaza.
La familia de Trini va a tocar música en la fiesta.
¿Va a tocar Trini su güiro?

—Trini —dice el abuelo—, tú ya sabes tocar muy bien.
Mañana por la noche vas a tocar en la fiesta.

—Abuelo, ¿y si me da vergüenza?
—pregunta Trini.

—La vergüenza se te quita rápido —le dice su abuelo—.
Se te quita con la música.

—Sí, abuelo —dice Trini—.
Oye el "chiqui-chiqui-chá" de mi güiro.

Trini corre por la sala.
Corre y toca su güiro.
Toca "chiqui-chiqui-chí" por aquí.
Toca "chiqui-chiqui-chá" por allá.
Su gatito juguetón oye el
"chiqui-chiqui-chá".
El gatito corre con la música.
Pero el gatito pasa por su camino.
Y Trini se cae con su güiro.

—¡Ay, abuelo, mi güiro! —dice Trini—.
Ahora no puedo tocar en la fiesta.
No puedo tocar con mi familia.

“Taca, taca, taca” hace el güiro ahora.
Ya no sale un sonido bonito.
El güiro es de Puerto Rico.
Por eso, Trini no puede comprar otro.
Ella va a tener que hacer uno nuevo.
Y ahora Trini va a su cuarto.
Va a hacer un nuevo güiro.

En su cuarto, Trini mira sus cosas.

—A ver qué sonidos salen de aquí
—dice Trini.

Trini ve un bate y lo toma en las manos.
"Tácata, tácata, tácata" hace el bate.

—¡No, no, no! El bate no sirve
—dice Trini.

Después, Trini toma el globo donde pone su dinero.
"Chácata, chácata" hace el globo.

—¡No, no, no! El globo no sirve —dice Trini.

Y después, Trini toma su guitarra.
"Plin" hace la guitarra.

—¡No, no, no! —dice Trini—. ¡La guitarra no sirve!

—Tengo que buscar otra cosa
—dice Trini.

Pero en eso, oye un lindo sonido:
"Chiqui-chiqui-chá, chiqui-chiqui-chá".

Trini lo sigue.
Lo sigue hasta la cocina.
¡Ve ahí a su abuelo con una papa y
un rallador!

—¡Ya sé! —dice Trini—.
Ya sé cómo voy a tocar con mi familia.

Es la noche de la fiesta.
Sale la familia de Trini.
¡Qué música!
¡Qué alegría!
¡Qué contentos se ven todos!
Pero no hay una niña más contenta que
Trini con su cuchara y su rallador.

Preguntas

1. ¿Qué instrumento toca Trini?

2. ¿Cómo se rompe el instrumento?

3. ¿Dónde encuentra Trini el sonido que busca?

4. ¿Te gusta tocar música? ¿Por qué sí o por qué no?

ORQUESTA DE PALABRAS

Algunas palabras suenan como un sonido.

Mira los instrumentos de música.

Lee las palabras.

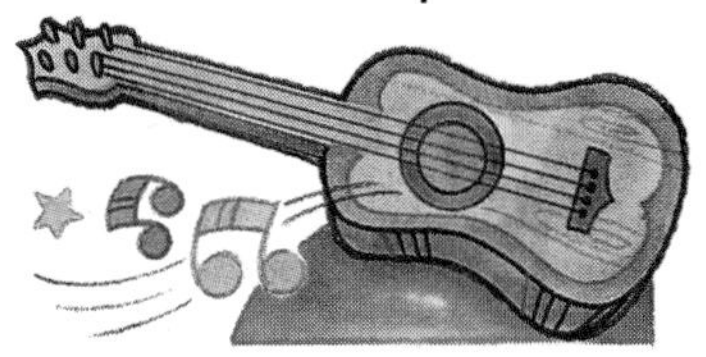

tara tara

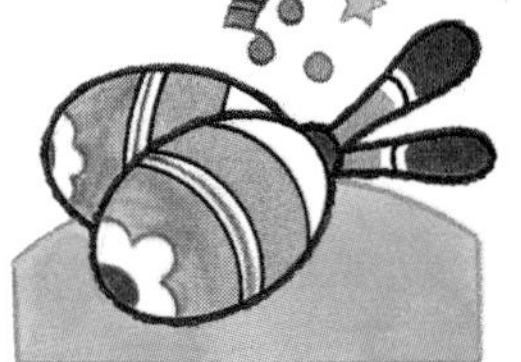

chiqui-chiqui

porom-pom-pom

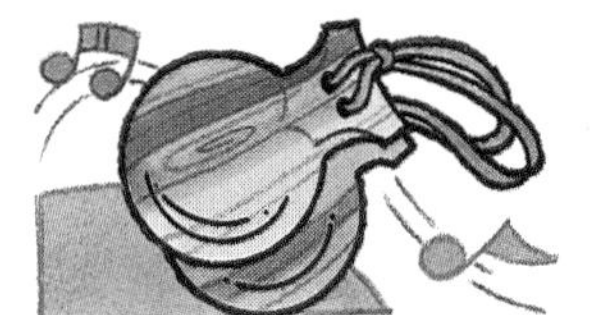

tacatá-tacatá

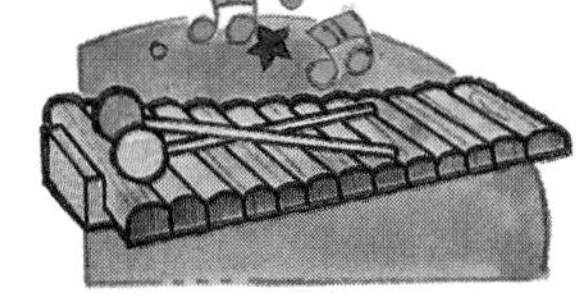

plin-plin

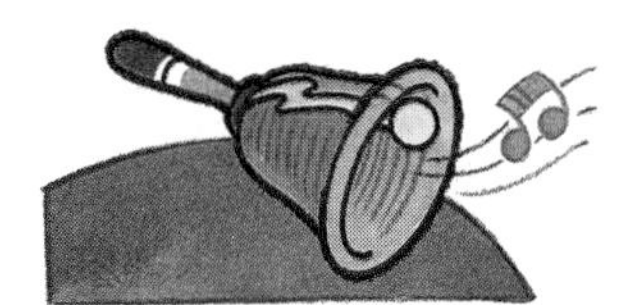

tilín-tilín

Haz el sonido para contestar la pregunta.

1. ¿Qué sonido hacen las castañuelas?
2. ¿Qué sonido hacen las maracas?
3. ¿Qué sonido hace la guitarra?
4. ¿Qué sonido hace el tambor?
5. ¿Qué sonido hace el xilófono?
6. ¿Qué sonido hace la campanita?

¿Qué otras palabras para sonidos puedes hacer?

Música de cocina

Esther M. Navarro

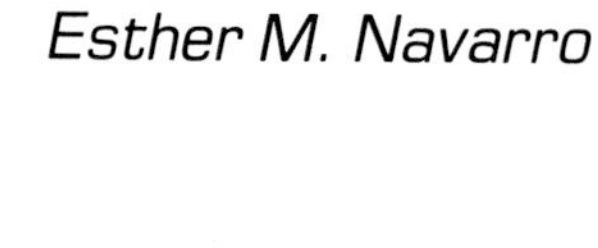

¿Para qué sirven una caja y un rollo de papel?
¿Para qué sirven las botellas?

Son cosas que se ven todos los días.
Y con ellas se pueden hacer cosas muy bonitas.

La cocina es como un cuarto mágico.

En la cocina hay muchas cosas.

Con muchas de ellas se pueden hacer instrumentos de música.

¡Y con muchos instrumentos, se puede hacer una fiesta!

El tambor

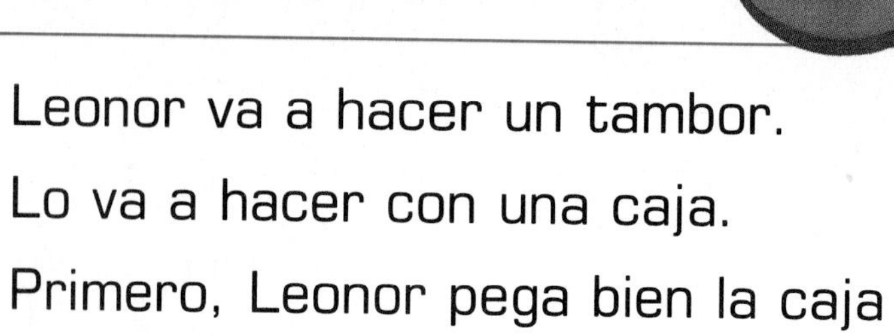

Leonor va a hacer un tambor.

Lo va a hacer con una caja.

Primero, Leonor pega bien la caja
por arriba.

Después, Leonor toma papel.

En el papel hace flores de muchos colores.

Por último, pega el papel en la caja.

El tambor ya está listo.

Se toca con las manos o con una cuchara.

Ahora, ya sabes hacer un tambor.

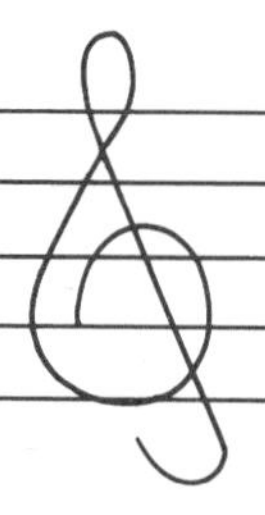

El xilófono

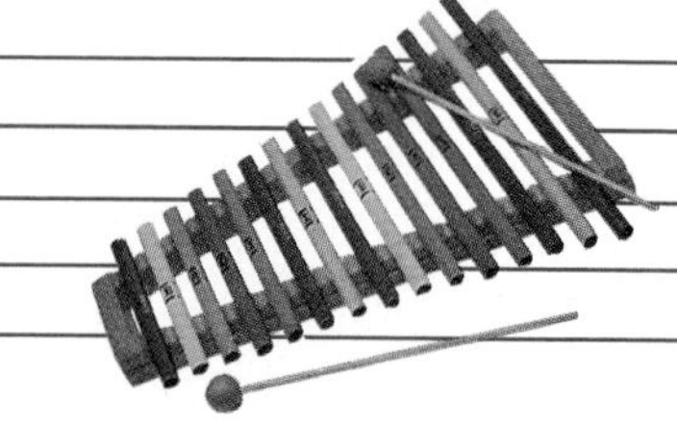

Aquí se ve un xilófono.

Su música es muy bonita.

Un niño puede hacer un xilófono.

Lo puede hacer de cosas de la cocina.

Sólo necesita botellas y agua.

Xavier va a hacer un xilófono.

Primero, pone agua en las botellas.

En la primera de las botellas pone sólo
un poco de agua.

En la próxima pone un poco más.

Y en la próxima, pone un poco más todavía.

Así, las botellas no hacen el mismo sonido.
Cuando hay agua en todas las botellas,
es un xilófono.
Xavier toca el xilófono.
Lo toca con una cuchara.

¡Vas a ver qué lindo es el sonido de
este xilófono!

La maraca

En la cocina se necesita mucho papel.
El papel viene en un rollo.

Ema va a hacer una maraca de este rollo.
Primero, le pega un papel al rollo por
un lado.
Después, pone frijoles en el rollo.
Y después, le pega otro papel al otro lado.
Así no se salen los frijoles.

En un papel Ema hace mariposas de
muchos colores.
Después, Ema pega este papel al rollo.

¡Vas a ver qué bien se oye esta maraca!

Ya están listos todos los instrumentos.
Ahora, llegan otros amigos.
Traen sus instrumentos.
Todos se hacen con cosas que están en la cocina.
Por eso, a esta música se le llama "música de cocina".
Con estos instrumentos se puede tocar música de Puerto Rico y México y Cuba.
¡Y con esta música, todas las fiestas son un éxito!

Preguntas

1. ¿Qué hace Leonor primero para hacer el tambor?
2. ¿De qué se hace el xilófono?
3. ¿Qué instrumento se hace con frijoles y un rollo?
4. ¿Qué instrumento harías tú para tocar música de cocina?

DESTREZAS

Antónimos

A. Mira la palabra subrayada en cada oración.

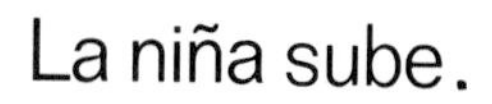

La niña sube. La niña baja.

Las palabras sube y baja son palabras que significan lo opuesto.

Busca en el cuadro la palabra que significa lo opuesto de cada una de las que están abajo. Escribe las dos palabras en tu papel.

primero	va	sí	arriba	pequeño	bonito

1. abajo arriba
2. no ______
3. último ______
4. enorme ______
5. feo ______
6. viene ______

B. Mira la palabra subrayada en la oración.
Busca la palabra que significa lo opuesto en el cuadro.
Escribe la oración en tu papel.

larga	noche	pone	baja

1. Cuando Pepe llega a casa, se quita las botas.
   Cuando sale, se las ________ .

2. Esa soga es corta.
   Pepe necesita una soga ________ .

3. El gatito se sube al sillón.
   Después de un rato, se ________ .

4. El tecolote duerme de día.
   Sale de ________ .

Radio KIWI

Mauricio Najarro

En la radio se oye música bonita.
Se oyen las noticias y muchas otras cosas.
Vamos a ver lo que pasa una noche en
Radio KIWI.

Tobi: Buenas noches, amigos.
Les habla Tobi de Radio
KIWI, de la escuela
Washington.
A mi lado están Sami y Susi.
Susi les trae un poema y
otras sorpresas.

Susi: Buenas noches, amigos.

Tobi: Sami les trae las noticias.

Sami: Amigos, muy buenas noches
a todos.

Tobi: Sami, ¿qué hay de nuevo esta noche?

Sami: Ay, Tobi, no puedo creer lo que
pasa esta noche.
Un dragón de Komodo corre por
las calles de la ciudad.

Tobi: Y, ¿cómo es el dragón de
Komodo, Sami?

Sami: Es gigante, con una cabeza enorme.

Tobi: Y, ¿dónde está el dragón ahora, Sami?

Sami: No sé dónde está ahora. Dicen que pasó por la peluquería de don José. Pero ya no está ahí. Como sabes, una peluquería no es para un dragón.

Tobi: Gracias, Sami. Y ahora, aquí está Susi con una adivinanza.

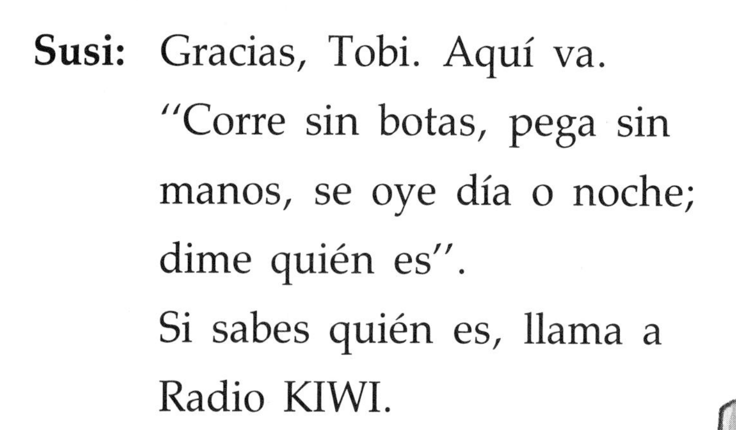

Susi: Gracias, Tobi. Aquí va.
"Corre sin botas, pega sin manos, se oye día o noche; dime quién es".
Si sabes quién es, llama a Radio KIWI.

Rin, rin, rin.

Susi: ¿Bueno? Habla Radio KIWI.

Niño: Yo sé quién es, Susi.
Es la luna.

Susi: No, no es la luna.
Pero, gracias.

Rin, rin.

Susi: ¿Bueno? Habla
Radio KIWI.

Niña: ¡Susi! Yo sé.
¡Es el viento!

Susi: Sí, muy bien, es
el viento.
Tu regalo es una
visita a una
escuela de karate.

Niña: Muchas gracias.

Tobi: Y ahora, aquí está Sami
con más noticias.

Sami: Gracias, Tobi.
Sí, tengo más noticias.
Hace poco el dragón
llegó a la casa de don Pepe.

Tobi: ¿Cómo es eso, Sami?
¿Qué puede hacer un dragón
en la casa de don Pepe?

Sami: Bueno, Tobi, ya sabes que don
Pepe hace unas botas fabulosas.
Pues, el dragón pasó a comprar
dos pares de botas nuevas.

Tobi: ¡Qué noche!
Bueno, gracias, Sami.
Y ahora, aquí está Susi
otra vez con un poema.

Susi: Gracias, Tobi.
Aquí está:

Por la mañana
es quiquiriquí;
y en la escuela
talán talán.
Corre a la casa
clópiti clop;
oye la Radio
KIWI, KIWI.

Tobi: ¡Qué bonito, Susi!
Gracias.
Ahora, amigos, les tengo
una pregunta.
¿Quién vende los mejores
sándwiches?
Es Pablo.
¿Dónde?
Al lado de la escuela
Washington.

Susi: Ay sí, Tobi, son
muy sabrosos.
Y ahora, a ver, amigos.
¿Quién dice bien rápido
lo que sigue?
"Paquita poco come.
¿Cómo Paquita come poco?"

Tobi: A ver: Paquita como tomo . . .
¡Ay, ay, ay! No puedo.
¿Y tú, Sami?

Sami: Ahora no puedo porque
tengo nuevas noticias.

Tobi: ¿Qué pasa ahora, Sami?

Sami: Parece que ahora el dragón
está en la casa de Pablo.
¡Creo que va a comprar
sándwiches!

Susi: No, Sami, no está allá.
¡Está aquí!

Tobi: ¿Cómo? ¿Qué hace aquí?

Susi: Mira cómo llama a
la ventana.
Abre, Sami, abre.
Pasa a Radio KIWI, dragón.

Dragón: Buenas noches, amigos de Radio KIWI.
Me dicen Fredi.

Tobi: B . . . b . . . buenas noches, Fredi.
¿Qué haces por aquí?

Dragón: Es que es el día del santo de mi mamá.
Tengo un poema para ella.

Tobi: ¡Ay, bueno!
¡Pasa por aquí, Fredi!
Amigos de Radio KIWI, aquí está Fredi con su poema.

Dragón: Los pollitos dicen:
''pío, pío, pío'',
y los patitos:
''cua, cua, cua''.
Los caballitos dicen:
''yío, yío, yío'',
pero Fredi te dice:
''Te quiero, mamá''.

Susi: Muchas gracias, Fredi.
Y a todos, muy buenas
noches de Radio KIWI.

Preguntas

1. ¿Qué no puede creer Sami cuando da las noticias?

2. ¿Por qué va el dragón a la casa de don Pepe?

3. Por fin, ¿adónde va el dragón?

4. ¿Te gusta el poema del dragón? ¿Por qué sí o por qué no?

El zorro y el topo

versión de Lada Josefa Kratky
de una leyenda peruana

Es de noche.

Se ve la luna.

Las estrellas brillan.

El zorro mira la luna.

¿Qué va a hacer el zorro esta noche?

Una noche, el zorro sale de su madriguera.

Mira la luna y dice:

—¡Qué luna tan fabulosa!

¡Qué brillante!

¡Qué clara!

¡Parece de plata!

Sin ella, el cielo se ve triste.

Esta noche me voy a ir a la luna.

El zorro corre por el prado.
Va a la casa del topo.

—Buenas noches, amigo topo —dice el zorro—.
Quiero ir a la luna.
Ven conmigo.

—¿A la luna? —pregunta el topo—.
¿Y hay comida en la luna?

—Sí —dice el zorro—, hay mucha. Y te prometo que es muy sabrosa.

—Bueno, vamos —dice el topo—. Pero, ¿cómo vamos a ir?

—Yo sé cómo —dice el zorro—. Vamos a ver al águila.

Y los dos amigos salen a buscar al águila.

Poco después, los dos amigos la ven. La ven allá muy lejos en el cielo.

—¡Águila, ven! —grita el zorro.

—¡Águila, baja! —grita el topo.

El águila oye a sus amigos y baja.

—¿Por qué me llaman? —pregunta el águila.

—Quiero ir a la luna —dice el zorro.

—¡Y yo! —dice el topo.

—Pero, ¿por qué me llaman a mí?
—pregunta el águila.

—No puedo ir sin tu ayuda
—dice el zorro.

—¿Qué tengo que hacer?
—pregunta el águila.

—Vas a ver —dice el zorro—.
Ven conmigo.

El zorro lleva a sus amigos a la loma.
Ahí hay una soga.
Es una soga muy, muy larga.

—Esta soga llega hasta la luna —le dice el zorro al águila—.
Toma una puntita de esta soga.
Vete a la luna.
Amarra la soga a la puntita de la luna.
Así vamos a ir hasta allá por la soga.

—Está bien —dice el águila—.
Allá voy.

El águila toma una puntita de la soga.
Con ella se dirige a la luna.
Los dos amigos ven cómo sube.
El águila se ve más y más pequeña.
Después de un rato, ya no se ve.

Mucho después, ven un puntito en
el cielo.
El puntito se acerca más y más.
Al rato ven que el puntito es el águila
que se les acerca.

—Todo está listo —dice el águila cuando llega.

—Gracias, amiga águila —dice el zorro—.
¡Qué noche más fabulosa!
¡Amigo topo, nos vamos a la luna!

—Cuidado, zorro, cuidado —dice el águila—.
La luna está muy lejos.

—¡Allá VOOOOOY! —grita el zorro contento.

Rápido, el zorro sube y sube.
Lo sigue su amigo el topo.

—¡Cuidado, amigo topo! —dice el águila.

El topo está muy contento.
Sube y sube por la soga.
Llega hasta las nubes y sube más.

—¡Allá VOOOOY! —grita el topo.

Pero en eso, el topo se cae.

El topo cae y cae.

Se cae a una mata.

El topo queda muy, muy asustado.

Está tan asustado que se mete debajo de la tierra.

Y es por eso que el topo ya no vive arriba de la tierra.

Ahora, su casa está debajo de la tierra.

Pero el zorro sí llegó a la luna.
Por eso, por la noche, si la luna
se ve bien, se ve el zorro.
Se ve contento en la luna.
Y a veces se ve una cosa más.
Todavía se puede ver la soga, si se mira
con mucho cuidado.

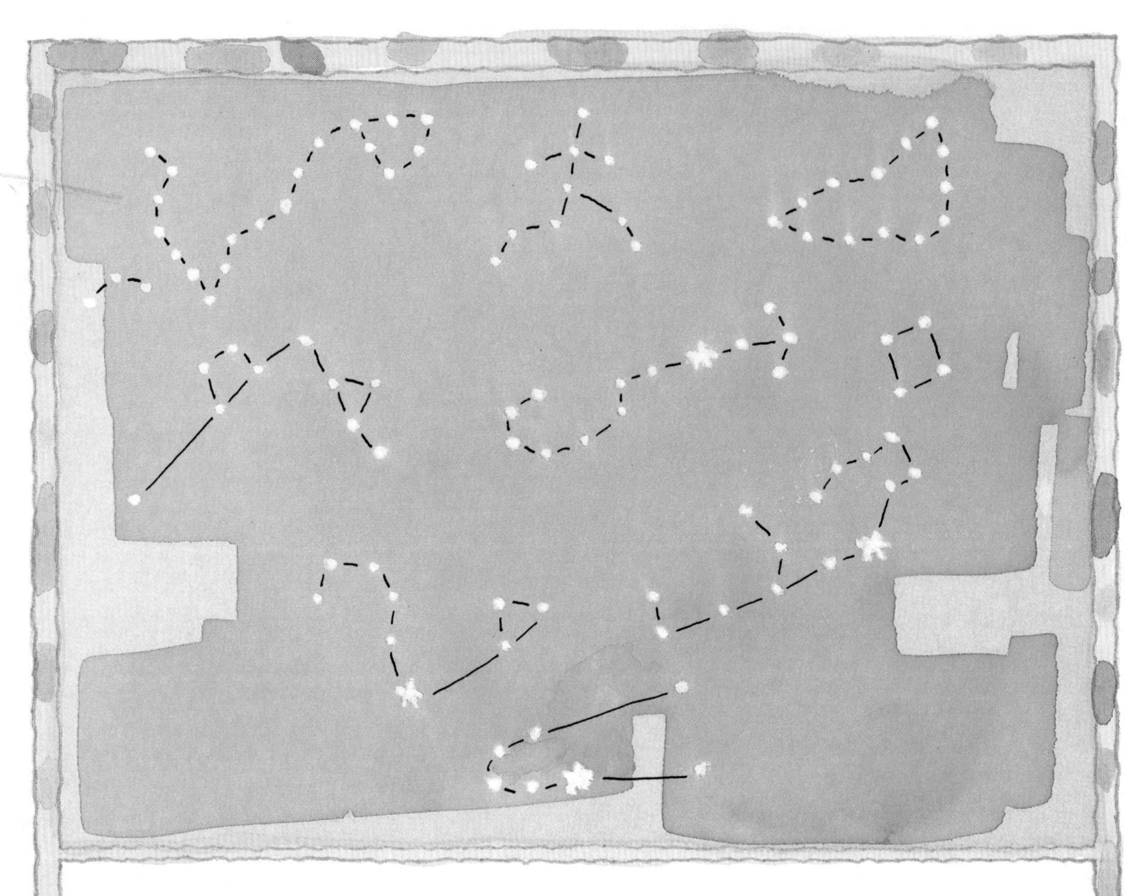

Preguntas

1. ¿Adónde quieren ir el zorro y el topo?

2. ¿Cómo los ayuda el águila?

3. ¿Por qué vive el topo debajo de la tierra ahora?

4. ¿Qué ves tú cuando miras la luna llena?

La Luna

Allá está la Luna
comiendo su tuna
y echando las cáscaras
en la laguna.

Tradicional

Lectura tres estrellas

Sombrera

María Elena Walsh

Había una vez un árbol muy bueno. Tan bueno era, que además de dar sombra daba sombreros. Este árbol se llamaba Sombrera. Crecía en una esquina del bosque de Gulubú.

Las gentes que vivían cerca iban al árbol.

Iban pacíficamente todas las primaveras.

Cortaban los sombreros con suavidad.

Los elegían sin pelearse.

Esta gorra para ti, este bonete
para mamá.

Esta galera para el de más allá.

Este birrete para mí.

Pero un día llegó al bosque un hombre.
Era muy rico y sinvergüenza.
Se llamaba Platini.

Atropelló a todos los vecinos gritando:
—¡Basta!
Todos estos sombreros son para mí.
¡Me llevo el árbol a mi casa!

Todo el mundo se puso triste.
El horrible señor Platini mandó que desenterraran el árbol.
El árbol fue desenterrado.
Lo acostaron sobre un lujoso automóvil de oro con perlitas.
Lo llevaron a su casa.
Una vez en casa, el señor Platini mandó plantar la Sombrera en su jardín.

El árbol crecía raquítico y de mala gana.
Esto enfurecía al horrible señor Platini.

El señor esperaba que floreciera.
Quería poner una sombrerería.
Quería vender los sombreros carísimos.
Y con ese dinero quería comprarse
tres vacas.
Luego las iba a vender.
Y con el dinero quería comprarse
un palacio.
Luego quería venderlo.
Y con el dinero quería comprarse
un montón de dinero y guardarlo.

Por fin llegó la primavera.
El árbol floreció de mala gana unos cuantos sombreritos descoloridos.
El señor quiso mandarlos cortar inmediatamente.
Pero el Viento se había enterado de toda la historia.
Se puso furioso.

Y el Viento dijo:

—Yo siempre he sido amigo de los vecinos de Gulubú.

No voy a permitir que les roben sus sombreros así no más.

Y se puso a soplar y a soplar.

Arrancó todos los sombreros del árbol.

El señor Platini salió corriendo detrás de sus sombreros.

Nunca los pudo alcanzar.

Corrió y corrió y corrió.

Llegó muy lejos, muy lejos del bosque de Gulubú.

Se perdió en el desierto de Guilibí.

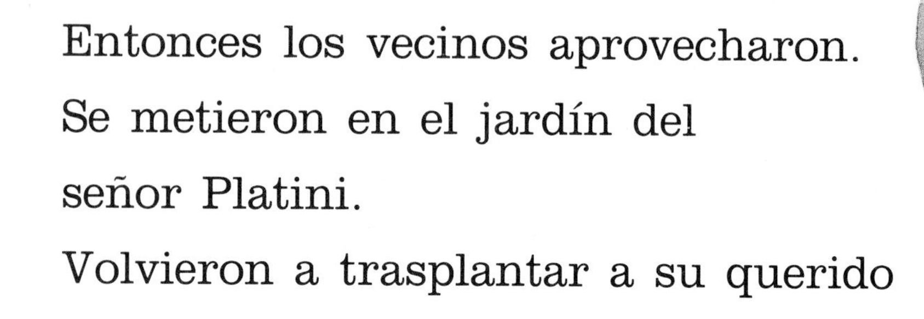

Entonces los vecinos aprovecharon.
Se metieron en el jardín del
señor Platini.
Volvieron a trasplantar a su querido
árbol al bosque de Gulubú.

El Viento estaba muerto de risa.
Y el árbol recobró pronto la salud.
Volvió a florecer.
Los vecinos volvieron a cosechar
sus sombreros sin pelearse.

Y el señor Platini se quedó solo y
aburrido en el desierto.
Se quedó sin sombrerería, sin tres vacas,
sin palacio.
Pero lo que le daba más pena, fue que
se quedó sin su montón de dinero.
Ah, y sin sombrero.
Y de esta manera se acaba el cuento
de la Sombrera.

PRESENTAMOS A LA AUTORA

María Elena Walsh

María Elena Walsh es de la Argentina. Ella comenzó a escribir poesía cuando era niña. A los quince años publicó su primer poema. Pocos años después, Juan Ramón Jiménez, un poeta español muy importante, la invitó a estudiar en los Estados Unidos.

Desde entonces, María Elena ha trabajado en muchos campos. Ha hecho teatro para niños y programas de televisión para niños y adultos. También escribe y canta sus propias canciones para niños y adultos.

Las palabras que escribe María Elena Walsh son un lindo reflejo de nuestro mundo.

NIVEL 5, UNIDAD 2

Pensemos en los relatos de *Arrorró, mi niño*

"Arrorró" es lo que le dice la mamá al niño cuando viene la noche. Los relatos de esta Unidad pasan de noche. Tratan de una lluvia de estrellas y de una noche de fiesta y de música. Son sobre el zorro que sale de noche y sobre lo que le pasa.

1. ¿Qué tiene que ver el cuento "Todo al revés" con la noche?
2. ¿Qué ves tú cuando miras la luna llena?
3. En otro cuento conociste a una niña que también podría trabajar en Radio KIWI. ¿Quién es? ¿Por qué crees eso?
4. Escribe una oración sobre lo que te gusta hacer de noche.

Diccionario ilustrado

A a

águila

El águila es un ave enorme.

allá

Ema come aquí y Pepe allá.

amarra

Yolanda amarra su caballo.

arpa

Ema toca el arpa.

B b

bicicleta

Vamos a la laguna en bicicleta.

binoculares

Se ve bien de lejos
con los binoculares.

B b

brillantes

Las luces de la ciudad son brillantes.

buscar

No sé dónde está mi tía, pero la voy a buscar.

C c

caja

¡En esta caja hay un regalo!

calienta

El sol calienta la tierra.

cielo

La luz ilumina el cielo.

clara

Las estrellas se ven bien cuando la noche está clara.

C c

conmigo

—Ven conmigo, gatito
—dice Susi.

cuarto

Quique lee un libro en su cuarto.

cuidado

—¡Cuidado!
—grita Tobi.

D d

danza

Sarita hace una
linda danza.

debajo

La pelota está
debajo de la mesa.

D d

detener

—Ayuda a detener el cielo
—dice el tlacuache.

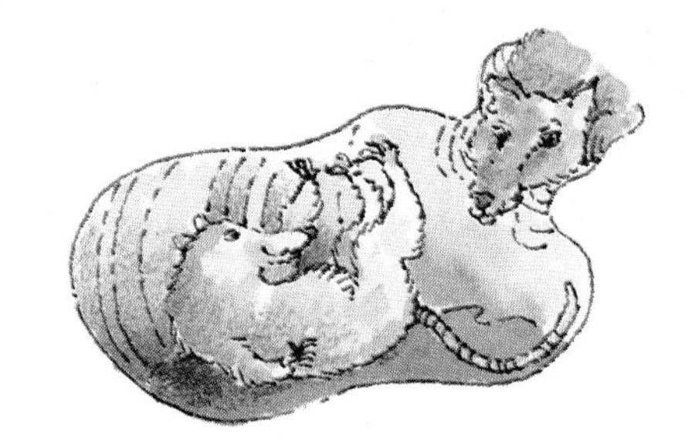

disfraz

Nicolás lleva un disfraz
de gatito.

dragón

El dragón de Komodo
es enorme.

E e

edificio

Vivo en un edificio
de muchos pisos.

enorme

El hipopótamo es enorme,
y la araña es pequeña.

E e

estrellas

Hay muchas estrellas brillantes en el cielo.

F f

familia

En mi familia hay dos niños y dos niñas.

frijoles

Las matas de frijoles necesitan sol y agua.

frito

Fredi come un huevo frito.

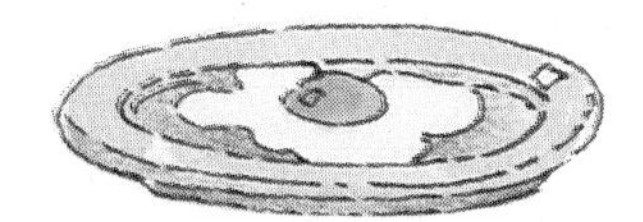

G g

gallina

La gallina llama a sus pollitos.

G g

gigante

El gigante es enorme.

gracias

—Gracias —le dice
Pablo al señor.

grupo

Un grupo de niños
va a la escuela.

gruta

Este oso vive
en una gruta.

guitarra

La música de la guitarra es linda.

H h

huevo

La gallina pone un huevo.

I i

ilumina

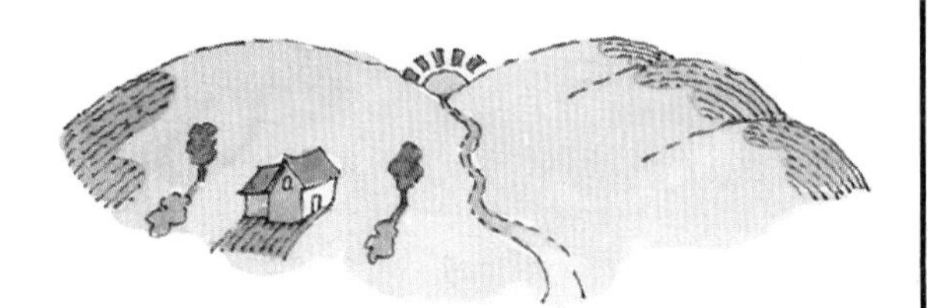

La luz del sol ilumina
la casa.

instrumentos

La guitarra y el arpa son
instrumentos de música.

Ll ll

lluvia

La lluvia cae y las flores crecen.

M m

madriguera

El zorro vive
en su madriguera.

México

La familia de Sarita vive
en México.

M m

muy

La música es muy bonita.

N n

noticias

Susi y su mamá ven las noticias.

O o

ogro

El ogro es un gigante muy feo.

P p

piso

Vivo en el piso de arriba.

planetas

Los planetas se ven de noche.

P p

plaza

En la plaza del pueblo
hay muchas flores.

poco

Tengo poco dinero.

poema

Papi me lee un poema de mi libro.

pregunta

—¿Por qué corre tan
rápido? —pregunta Adela.

protege

La zorra protege a
los zorritos.

puedo

Yo puedo hacer muchas cosas.

P p

pues

—Pues, ya me voy —dice Pablo.

puntitas

Mamá no oye a los niños porque van de puntitas.

R r

radio

La abuela oye la música de la radio.

rallador

—Aquí está el rallador —dice José.

rápido

El zorro es más rápido que la gallina.

R r

revés

Todo está al revés y patas arriba.

ruido

Hay mucho ruido en la ciudad.

S s

sabroso

¡El pan es muy sabroso!

sándwiches

Los sándwiches se hacen con pan y queso.

sigue

El gatito sigue al niño a la escuela.

sirve

Este teléfono no sirve.

T t

tambor

Yo toco el tambor y
Adela toca la guitarra.

teléfono

Llama a tu tía por teléfono.

tierra

Las flores crecen
en la tierra.

tira

Eva tira de la soga de la campana.

tlacuache

El tlacuache y el coyote
son animales del campo.

trae

Pablo me trae la sopa.

T t

túneles

Hay muchos túneles en la madriguera del zorro.

V v

vaca

La vaca da leche.

ventana

Ema ve jugar a sus amigos por la ventana.

voz

Se oye la voz de papá.

X x

xilófono

La música del xilófono se oye muy bien.

Lista de palabras nuevas

Para los maestros: Las siguientes palabras se introducen en las selecciones de *El Sol y la Luna*. El número entre paréntesis que sigue a cada palabra indica la página en que esa palabra aparece por primera vez en el libro. Las palabras en negro son palabras nuevas. Las palabras en azul representan variaciones en género, número o persona de palabras ya conocidas.

A

abre (124)
abren (34)
acerca (54)
adivinanza (155)
adonde (99)
águila (169)
alegría (67)
allá (94)
amarra (172)
amigas (96)
arpa (55)
asustada (71)
atrevo (14)

B

bicicleta (124)
binoculares (95)
bonitas (140)
botellas (140)
brilla (33)
brillan (166)
brillante (167)
brillantes (41)
brotan (35)
buscar (104)

C

caballitos (164)
caballos (38)
caja (140)
calienta (33)
cama (119)
carro (38)
cielo (78)
clara (167)
claro (124)
cocina (136)
cofre (55)
conmigo (168)
contento (174)
coyote (76)
crece (35)
creer (119)
creo (125)
cruza (124)
cuarto (10)
cuidado (174)

D

E

F

G

H

I

J

K

R

S

T

V

W

X

Z